D1203176

© Jean-Pierre Idatte 2004
ISBN 2-86358-113-9
Dépôt légal septembre 2004
Loi 49956 du 16 juillet 1949
sur les publications destinées à la jeunesse

Imprimé en Belgique
EC-LC-2

ÉLOI
ET LE CHAMOIS

une histoire de Jean-Pierre IDATTE
illustrée par Rodolphe BAUDOUIN

UN LIVRE 3 CHARDONS

Sur le mur de la chambre d'Éloi, est suspendu un grand tableau.
Sur ce tableau, se dresse une sombre forêt, et dans le lointain,
tout au bout d'une vallée, s'élève une belle montagne.
Et sur cette montagne, se tient perché un tout petit chamois,
tout seul et qui a peur de tout.

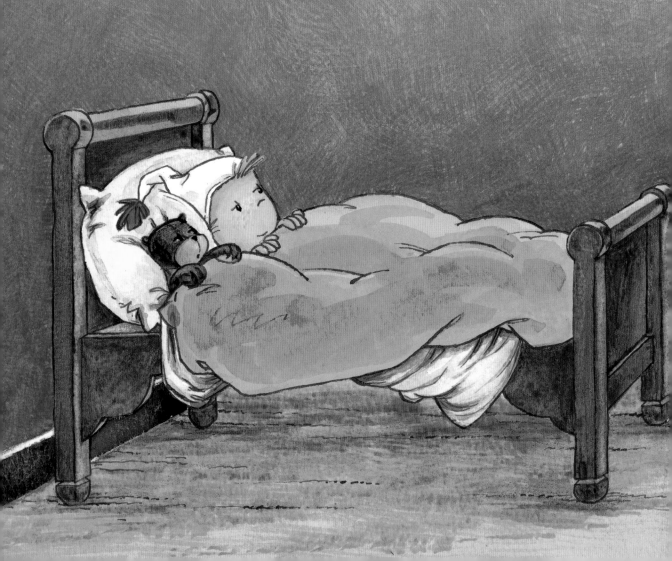

Et ce petit chamois, Éloi l'aime bien.
Du fond de son lit, chaque soir, il le regarde.
Et tout en regardant le petit chamois, chaque soir, Éloi s'endort.

Mais ce soir, Éloi ne peut pas s'endormir.
Car dans le tableau, le petit chamois a quitté la montagne.
Pour se rapprocher d'Éloi, il est descendu dans la vallée
et maintenant, à l'entrée de la forêt,
il s'est arrêté et semble hésiter.

Et du fond de son lit, Éloi tremble.
Car dans la forêt, rôde un gros loup qui a toujours grand faim.
Et le petit chamois est si petit qu'il ne le sait pas.

Pour le prévenir, Éloi voudrait entrer dans le tableau.
Mais un petit garçon qui entre dans un tableau, cela ne se peut pas.
Et du fond de son lit, Éloi tremble pour le petit chamois.

C'est alors qu'à côté d'Éloi, son petit ours en peluche chuchote
à son oreille. À son oreille, il chuchote la formule secrète
pour entrer dans le tableau : pour entrer dans le tableau,
il suffit de fermer les yeux et de penser bien fort au tableau
en murmurant doucement.

La formule secrète, aussitôt, Éloi veut l'essayer.
Et du fond de son lit, Éloi ferme les yeux,
puis il pense bien fort au tableau en murmurant doucement.

Et tout en murmurant, Éloi serre son petit ours dans ses bras.

Alors, tout soudain, Éloi se retrouve au milieu du tableau, à l'entrée de la forêt, devant le petit chamois. Et son petit ours en peluche est dans le tableau lui aussi. En le serrant dans ses bras, Éloi l'a emporté avec lui.

Dans le tableau, bientôt, le petit chamois se blottit
contre Éloi. Et dans ses bras, il n'a plus peur.
Mais lorsqu'Éloi lui apprend qu'un loup rôde
dans la forêt, tout aussitôt, il prend peur à nouveau.
Pour mettre le petit chamois à l'abri du gros loup, Éloi décide
alors de l'emporter dans sa chambre, avec la formule secrète.
Et sans tarder, Éloi ferme les yeux,
puis il pense bien fort à sa chambre en murmurant doucement.

Et tout en murmurant, Éloi serre le petit chamois dans ses bras.

Alors, Éloi se retrouve à nouveau dans sa chambre,
avec le petit chamois.
Et dans sa chambre, tout près d'Éloi et bien à l'abri,
le petit chamois est heureux.

Alors, dans la chambre d'Éloi, le petit chamois tout heureux
fait le fou. Dans la chambre d'Éloi, il saute,
il galope en faisant claquer ses petits sabots.
Et sur le lit d'Éloi, il fait mille cabrioles.

Mais Éloi ne peut pas laisser le petit chamois et sauter et galoper
dans sa chambre. Sur son lit, il ne peut pas le laisser faire
toutes ses cabrioles.

Et dans la chambre d'Éloi, bien vite, le petit chamois s'ennuie.
Déjà, il regrette la montagne où il pouvait
sauter et galoper et cabrioler.
Pour distraire le petit chamois, alors Éloi appelle
son petit ours pour qu'ensemble ils puissent jouer.

Mais dans la chambre d'Éloi,
le petit ours a disparu.
Partout, Éloi le cherche mais il ne le trouve pas.
Est-il caché sous le lit, ou bien sous les draps ?

Hélas ! Le petit ours n'est ni sous le lit, ni sous les draps.
Car, dans le tableau, Éloi l'a oublié. Et maintenant,
à l'entrée de la forêt, le petit ours est seul,
seul avec le gros loup qui a toujours grand faim.

Pour sauver son petit ours, bien vite, Éloi doit retourner
dans le tableau. Et le petit chamois veut venir avec lui.
Mais dans le tableau, à présent, le gros loup est sorti de la forêt.
Dès que le petit chamois reviendra, il le croquera.

Pour piéger le gros loup et protéger le petit chamois,
alors Éloi imagine une ruse savante.
Et tout décidé, Éloi ferme les yeux,
puis il pense bien fort au tableau en murmurant doucement.

Et tout en murmurant, Éloi serre le petit chamois dans ses bras.

Mais dans le tableau, aussitôt, le gros loup
s'apprête à bondir pour croquer le petit chamois.
Alors, Éloi écarte grand ses bras et fait barrière au loup.
Et de surprise, le gros loup en est bloqué dans son élan.
De surprise et de stupeur, pendant quelques instants,
il ne bouge plus.

Bien vite, alors, Éloi s'approche du gros loup.
Puis, bien vite, il ferme les yeux et pense bien fort à sa chambre
en murmurant doucement.

Et tout en murmurant, Éloi serre le gros loup dans ses bras.

Mais enfermé tout à coup dans la chambre d'Éloi,
le gros loup est très mécontent. Et le gros loup menace Éloi.
S'il ne le ramène pas immédiatement dans le tableau,
il le croquera. Mais le gros loup ne peut pas croquer Éloi.
Car il ne connaît pas la formule secrète.
Pour retourner dans le tableau, il a besoin d'Éloi.

Alors, tout larmoyant, le gros loup supplie Éloi.
Pour retourner dans le tableau, cent fois, il lui promet
de ne pas croquer le petit chamois. Mais cent fois, Éloi refuse.

Et pendant que, dans la chambre d'Éloi, le gros loup supplie
et promet, dans le tableau, tranquillement,
le petit chamois remonte sur la montagne.

Et lorsque le petit chamois
est remonté bien haut, alors, alors seulement,
Éloi ferme les yeux, puis il pense bien fort au tableau
en murmurant doucement.

Et tout en murmurant, Éloi serre le gros loup dans ses bras.

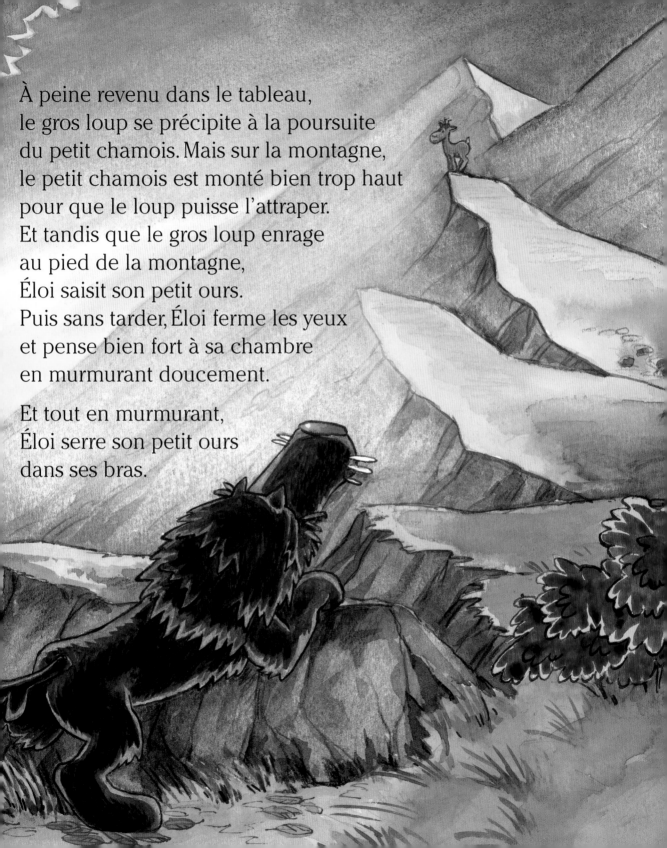

À peine revenu dans le tableau,
le gros loup se précipite à la poursuite
du petit chamois. Mais sur la montagne,
le petit chamois est monté bien trop haut
pour que le loup puisse l'attraper.
Et tandis que le gros loup enrage
au pied de la montagne,
Éloi saisit son petit ours.
Puis sans tarder, Éloi ferme les yeux
et pense bien fort à sa chambre
en murmurant doucement.

Et tout en murmurant,
Éloi serre son petit ours
dans ses bras.

De retour dans sa chambre, enfin, Éloi retrouve son lit.
Et du fond de son lit, ce soir comme chaque soir,
Éloi regarde le petit chamois.
Et tout en regardant le petit chamois,
comme chaque soir, Éloi s'endort.

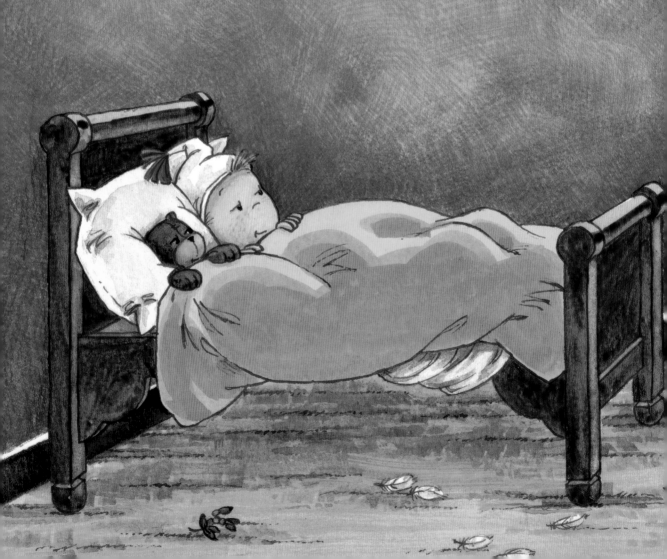

Dans le grand tableau, maintenant,
le petit chamois n'a plus peur du loup.
Il se tient perché fièrement, bien haut sur la montagne.
Dans le grand tableau, maintenant,
le petit chamois n'a plus peur du tout.
Il sait qu'Éloi est son ami. Il sait qu'il peut compter sur lui.

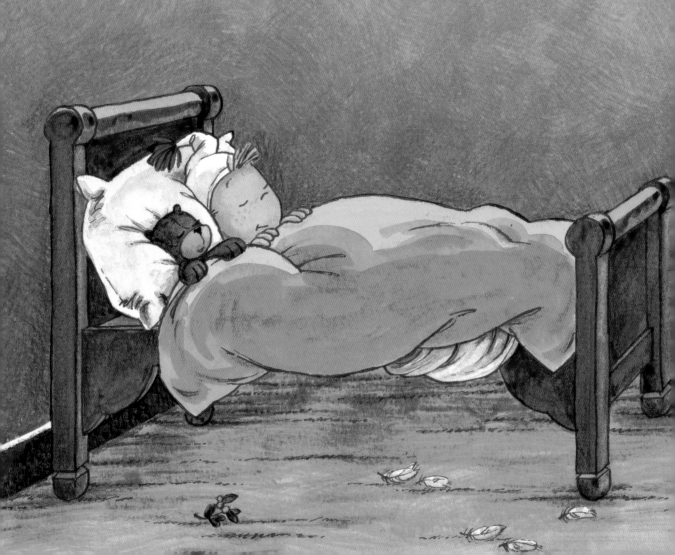

Les spectacles à l'école

De tout temps, les écoles maternelles et primaires ont ouvert leurs portes pour accueillir des spectacles susceptibles de participer à l'éveil des enfants dont elles ont la charge. Des compagnies théâtrales professionnelles ont choisi de consacrer toute leur énergie à ce public et de se déplacer dans les établissements scolaires. Par leur diffusion populaire, ces compagnies permettent à tous les enfants de France, quelle que soit leur origine socio-économique et quel que soit leur lieu de résidence, de découvrir et d'apprécier des spectacles vivants tout spécialement conçus pour eux. Sans ces compagnies, 90 % des enfants de France ne verraient jamais aucun spectacle vivant spécialement adapté à leur âge.

Depuis 1973, les 3 CHARDONS participent à cette diffusion populaire. Ils se sont organisés comme une véritable entreprise afin de toujours garantir la qualité de leurs productions, et ce tout en pratiquant des tarifs abordables pour tous.

Après trente années d'expérience, et malgré les difficultés économiques que rencontre toute compagnie théâtrale, les 3 CHARDONS veulent rester fidèles à leur démarche originelle. Avec la fidélité des enseignantes et des enseignants qui leur ont toujours fait confiance, ils veulent continuer à réaliser des spectacles complets basés sur des histoires construites et présentés par des comédiens professionnels, avec des décors, des marionnettes, des musiques tout spécialement composées, etc. et ce pour le plus grand plaisir de tous les enfants.

et leurs prolongements

Les livres

Les livres 3 CHARDONS permettent aux enfants de retrouver tous les personnages du spectacle et toute l'émotion qu'ils ont ressentie pendant la représentation. Ainsi le plaisir des enfants peut-il être mis à profit pour prolonger la démarche entreprise par l'école : développer leur intérêt pour le livre et la lecture.

Les CD

Les CD 3 CHARDONS permettent aux plus petits de bien prendre le temps de découvrir le livre tout en s'imprégnant des rythmes de la lecture. Ils permettent aux plus grands de ressentir tout le plaisir et toute la poésie de ces rythmes inséparables d'une bonne lecture.

Les spectacles à la cachette

Tous les spectacles 3 CHARDONS sont régulièrement présentés, à l'intention des familles et en dehors des jours scolaires, dans les deux salles de spectacles créées par la compagnie.

La Cachette à Paris, 124 avenue d'Italie - 75013 Paris - tél : 01 45 89 02 20

La Cachette à Nancy, 16 rue du Maréchal Foch - 54140 Jarville - tél : 03 83 56 30 33